Ludwig II aged 20

Ludwig II, Bavaria's last king, once said: "I want to remain an eternal enigma both to myself and others", and he has kept his word right up to the present day. Shrouded in mystery, the Wittelsbach ruler lives on in people's memories through his fairy-tale castles and inexplica'

Ludwig's life was charac chant for romanticism, a tendency ma sion for the operas of Richard Wagner ic mythological world. His idea of mo embodied in the great French kings Lc XV. But in an era when sovereigns had lost almost all their political power, such an ideal was bound to collide with reality. The only option left open to the king was to create a world of his own, where he could reign supreme.

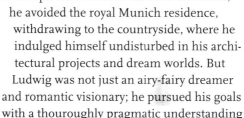
The young king, 1864

To escape the control of his state ministers, he avoided the royal Munich residence, withdrawing to the countryside, where he indulged himself undisturbed in his archi-tectural projects and dream worlds. But Ludwig was not just an airy-fairy dreamer and romantic visionary; he pursued his goals with a thouroughly pragmatic understanding of the disciplines involved.

Ludwig's notions of kingship and his perpetual remote-ness from state business made him suspect in the eyes of the government in Munich. The resulting conflict cul-minated in the monarch's being certified as incapable of managing his own affairs and ended in his tragic death in Lake Starnberg. Just how Ludwig II met his death dur-ing those evening hours of 13 June 1886 remains a mys-tery to this day.

„Ein ewig Räthsel bleiben will ich mir und anderen" – mit diesem Ausspruch sollte der Wittelsbacher Ludwig II., Bayerns letzter König, bis heute Recht behalten. Er war ein geheimnisumwitterter Herrscher, der durch seine Schlösser und seinen mysteriösen Tod der Nachwelt in Erinnerung blieb.

Ludwigs Leben war geprägt von seinem Hang zur Romantik, die in einer leidenschaftlichen Begeisterung für die Opern Richard Wagners und deren germanischer Sagenwelt gipfelte. Sein monarchistisches Ideal waren die großen französischen Könige, der Sonnenkönig Ludwig XIV. und Ludwig XV. In einer Epoche, in der der „Souverän" de facto nahezu jegliche politische Macht verloren hatte, mußte ein solches Ideal mit der Realität in größte Konflikte geraten. Dem König blieb nur die Möglichkeit, sich seine eigene Welt zu schaffen, in der er uneingeschränkt herrschen konnte. Um der politischen Kontrolle durch die Staatsminister zu entgehen, mied er die Münchner Residenz und zog sich zurück aufs Land, wo er sich ungestört seinen Bauprojekten und Traumwelten hingeben konnte. Alles andere als lediglich ein versponnener Schwärmer wußte Ludwig viele seiner Ziele mit den politischen Gegebenheiten in Einklang zu bringen.

Seine Vorstellungen vom Königtum und sein stetiger Rückzug aus den Staatsgeschäften machten ihn der Regierung in München zunehmend suspekt. Der daraus resultierende Konflikt gipfelte in der Entmündigung des Königs und fand in seinem tragischen und geheimnisvollen Tod im Starnberger See sein Ende. Bis heute ist nicht geklärt, wie Ludwig II. in jenen Abendstunden des 13. Juni 1886 zu Tode gekommen ist.

Luis II, hacia 1883

«Deseo permanecer como un enigma eterno para mí mismo y para los otros» y hasta el día de hoy conserva la razón con esta frase el último rey de Baviera, Luis II de Wittelsbach. Fue un monarca que gustó de envolverse en un misterio y que permanece presente en el recuerdo de la posteridad por sus castillos y a causa del incógnito que rodea su muerte.

La vida de Luis II estuvo caracterizada por su tendencia a lo romántico y a la glorificación del pasado, que alcanzó su clímax en su apasionamiento por las óperas de Richard Wagner y su mundo de sagas germánicas. Su ideal era la monarquía absoluta de los grandes reyes franceses, Luis XIV y Luis XV. En una época en que el soberano había perdido de hecho casi todo el poder político, un ideal de tal tipo tenía necesariamente que estar en conflicto con la realidad. Al Rey únicamente le restó la posibilidad de crearse un mundo propio en el que pudiese reinar sin limitaciones. Para eludir el control político de sus ministros de Estado, evadió la residencia real en Múnich y se retiró al campo donde pudo dedicarse sin ser perturbado a sus proyectos arquitectónicos y a sus ensoñaciones. Mas Luis II no fue sólo un exaltado excéntrico y un visionario romántico que persiguió sus metas pragmáticamente.

Su concepción de la realeza y su constante desinterés por los negocios del Estado lo hicieron sospechoso ante el Gobierno muniqués; el conflicto que resultó de ello se agudizó hasta el dictamen de incapacitación del Rey y llegó a su fin con su trágica y misteriosa muerte en el Lago de Starnberg. Hasta nuestros días no se ha podido aclarar cómo murió Luis II en la noche del 13 de junio de 1886.

« Je veux rester pour moi-même et les autres une énigme éternelle » écrivit un jour Louis II de Wittelsbach, le dernier roi de Bavière, et aujourd'hui encore, le mystère qui l'entoure reste entier. Ses châteaux, et sa mort tragique et inexpliquée, gardent son souvenir vivace. Louis II fut, sa vie durant, hanté par les grands mythes romantiques germaniques, passion qui culmina dans son enthousiasme pour l'œuvre de Richard Wagner. Il rêvait d'une monarchie absolue à l'image de l'Ancien Régime, telle que la représentaient le Roi-Soleil et Louis XV. A une époque où le souverain n'avait plus guère de pouvoir politique, un tel idéal devait forcément se heurter à la réalité. Le Roi se réfugia donc dans un monde imaginaire dans lequel il pouvait régner selon son bon plaisir. Evitant de séjourner dans sa résidence de Munich pour ne pas avoir à affronter les ministres d'Etat, il se retira à la campagne où il pouvait se consacrer à ses nombreux projets architecturaux et s'adonner à ses rêveries. Mais Louis II ne fut pas seulement un rêveur excentrique et un visionnaire romantique, il savait faire preuve de pragmatisme pour atteindre ses objectifs et il réussit, envers et contre tout, à matérialiser ses visions de pierre et de lumière.

Louis II, peinture de
G. Schachinger, 1887

Sa conception de la royauté et son désintérêt de plus en plus flagrant pour les affaires d'Etat le rendaient suspect aux yeux des membres du gouvernement munichois. S'ensuivit un conflit qui fut à son comble quand le Roi, jugé incapable de remplir ses fonctions, fut mis sous tutelle, et se dénoua quand on le retrouva noyé dans le lac de Starnberg. Jusqu'à ce jour, les circonstances dans lesquelles Louis II a trouvé la mort en cette soirée du 13 juin 1886 n'ont pas été élucidées.

Ludwig II as picture postcard motif
Ludwig II. als Postkartenmotiv
Louis II en motif de carte postale
Luis II como motivo de tarjeta postal
Photo: Collection Jean-Louis, Munich

TASCHEN

LUDWIG II.

Dein Bild bewahrt in Freud und Schmerz
Allzeit ein treues Bayernherz.

Nach einem Jugendporträt des Königs im Schloß Berg.

The cross in Lake Starnberg, where Ludwig II and Dr. Gudden were
found dead · Das Kreuz im Starnberger See, wo Ludwig II und
Dr. Gudden tot aufgefunden wurden · Le lac de Starnberg, une
croix marque l'endroit où les corps de Louis II et du Dr. Gudden
ont été retrouvés · La cruz en el lago de Starnberg, en el lugar
donde se encontró muertos a Luis II y al Dr. Gudden
Photo: AKG, Berlin

TASCHEN

The urn containing the heart of Ludwig II.
Die Urne mit dem Herzen Ludwigs II.
L'urne contenant le cœur du Louis II
La urna que contiene el corazón de Luis II
Altötting, Chapel of our Gracious Lady
Photo: Bischöfliche Administration der Heiligen Kapelle Altötting

TASCHEN

Ludwig II's corpse in the Residenz Royal Chapel in Munich
Der Leichnam Ludwigs II. in der Residenz-Hofkapelle, München
La dépouille mortelle de Louis II dans la chapelle royale de la
Résidence, Munich
El cadáver de Luis II en la capilla real de la Residencia, Múnich
Photo: AKG, Berlin

TASCHEN

Ludwig II and Dr Bernhard von Gudden (picture postcard motif)
Ludwig II. und Dr. Bernhard von Gudden (Postkartenmotiv)
Louis II et Dr. Bernhard von Gudden (motif de carte postale)
Luis II y el Dr. Bernhard von Gudden (motivo de una tarjeta postal)
Photo: Collection Jean-Louis, Munich

TASCHEN

Scene from the movie "Ludwig II" by Helmut Käutner, 1955
Szene aus dem Film „Ludwig II." von Helmut Käutner
Scène du film « Louis II » de Helmut Käutner
Escena de la película «Luis II» con Helmut Käutner
Photo: AKG, Berlin

TASCHEN

O.W. FISCHER

LUDWIG II.

Farbe von Technicolor
Eine Aura-Produktion
Verleih: Schorcht-Film

Majolica flower vase in the shape of a swan
Majolika-Blumenvase in Form eines Schwanes
Vase en majolique en forme de cygne
Florero de mayólica en forma de cisne
Photo: Gregor M. Schmid, Gilching

TASCHEN

Neuschwanstein Castle
Schloß Neuschwanstein
Le château de Neuschwanstein
Castillo de Neuschwanstein
Photo: Gregor M. Schmid, Gilching

TASCHEN

Ludwig II on the balcony of the throne room at Neuschwanstein Castle
Ludwig II. auf dem Balkon des Thronsaals von Schloß Neuschwanstein
Louis II sur le balcon de la Salle du trône de Neuschwanstein
Luis II en el balcón de la sala del trono del castillo de Neuschwanstein
Painting by Ferdinand Leeke. Photo: AKG, Berlin

TASCHEN

Ludwig II in the regalia of the Order of the Knights of St George
Ludwig II. im Ornat des Georgiritterordens
Louis II en tenue de l'ordre des Chevaliers de Saint-Georges
Luis II en el traje de la Orden de los Caballeros de San Jorge
Painting by Georg Schachinger, 1887. Munich, Bayerische
Verwaltung der staatlichen Schlösser, Gärten und Seen

TASCHEN

Caricature: Ludwig II as Lohengrin
Karikatur: Ludwig II. als Lohengrin
Caricature: Louis II en Lohengrin
Caricatura: Luis II en el papel de Lohengrin
Wood engraving from "Der Floh", Vienna, 1885
Photo: AKG, Berlin

TASCHEN

The Bavarian people honor Ludwig II (picture postcard motif)
Die Bayern verehren Ludwig II. (Postkartenmotiv)
Les Bavarois vénèrent Louis II (motif de carte postale)
Los bávaros veneran a Luis II (motivo de una tarjeta postal)
Photo: Collection Jean-Louis, Munich

TASCHEN

The Bavarian people honor Ludwig II (picture postcard motif)
Die Bayern verehren Ludwig II. (Postkartenmotiv)
Les Bavarois vénèrent Louis II (motif de carte postale)
Los bávaros veneran a Luis II (motivo de una tarjeta postal)
Photo: Collection Jean-Louis, Munich

TASCHEN

Du brauchst kein
Standbild von Stein,
Du brauchst kein Denkmal aus Erz,
Dein Bild wird ewig leben,
Jm treuen Bayernherz.

Ludwig II in the regalia of the Order of the Knights of St George
Ludwig II. im Ornat des Georgiritterordens
Louis II en tenue de l'ordre des Chevaliers de Saint-Georges
Luis II en el traje de la Orden de los Caballeros de San Jorge
Painting by Georg Papperitz, 1901

TASCHEN

Neuschwanstein Castle
Schloß Neuschwanstein
Le château de Neuschwanstein
Castillo de Neuschwanstein
Photo: Gregor M. Schmid, Gilching

TASCHEN

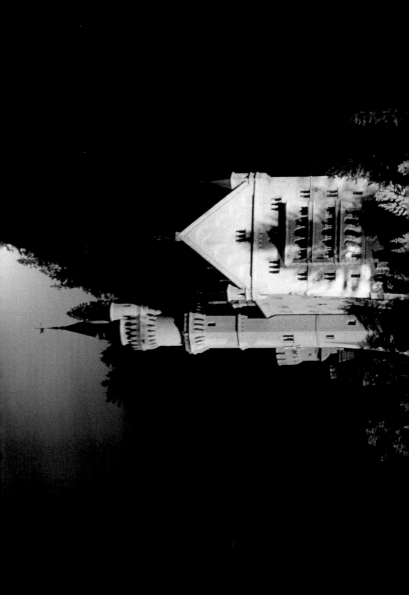

A much decorated and beribboned King Ludwig II
Ludwig II. mit ordensgeschmückter Brust
Louis II, la poitrine bardée de décorations
Luis II con sus condecoraciones
Colour dye transfer print, c. 1870
Berlin, Sammlung AKG. Photo: AKG, Berlin

TASCHEN

The Fortuna fountain in front of Herrenchiemsee
Der Fortunabrunnen vor Schloß Herrenchiemsee
La fontaine de la Fortune devant le château de Herrenchiemsee
La fuente de la Fortuna en el castillo Herrenchiemsee
Photo: Gregor M. Schmid, Gilching

TASCHEN

Ludwig II as picture postcard motif
Ludwig II. als Postkartenmotiv
Louis II en motif de carte postale
Luis II como motivo de una tarjeta postal
Photo: Collection Jean-Louis, Munich

TASCHEN

KÖNIG LUDWIG II.
IN DER BLAUEN GROTTE ZU LINDERHOF.

Grotto of Venus in the park at Linderhof
Die Venusgrotte im Park von Schloß Linderhof
La grotte de Vénus, dans le parc du château de Linderhof
La gruta de Venus en el parque del castillo de Linderhof
Photo: Gregor M. Schmid, Gilching

TASCHEN